Nederlands in hoofdlijnen

Praktische grammatica

voor anderstaligen

THEORIEBOEK

Ineke de Bakker
Marjan Meijboom
Adriaan Norbart
Carla Smits
Sylvia Vink

Wolters-Noordhoff Groningen

Vormgeving: Studio WoltersgroepGroningen

In deze bijdruk is de nieuwe spelling gehanteerd.

3 4 5 / 03 02 01 00 99

ISBN 90 01 05065 4

Inhoud

Woord vooraf

Dit is het theorieboek van *Nederlands in hoofdlijnen*, een grammatica-cursus Nederlands voor beginnende en halfgevorderde anderstaligen. Deze cursus is vooral bestemd voor diegenen die enige jaren voortgezet onderwijs hebben gehad of het eindniveau van de basiseducatie bereikt hebben. *Nederlands in hoofdlijnen* bestaat uit een theorieboek en een oefeningenboek. Er is ook een docenten-handleiding verkrijgbaar.

In deze cursus staat slechts één aspect van de taalvaardigheid centraal: de beheersing van een aantal grammaticaregels van het Nederlands. Inzicht in de grammaticaregels kan een cursist helpen bij de verwerving van een taal. Naar onze mening moet grammatica nooit het belangrijkste onderdeel van een taalles zijn maar staat de aandacht ervoor altijd in dienst van het verbeteren van de lees-, luister-, spreek- en schrijfvaardigheid. Dat betekent dat *Nederlands in hoofdlijnen* nooit een centrale plaats in een cursus inneemt maar naast andere methoden Nederlands als tweede taal gebruikt wordt.

Dit theorieboek bestaat uit veertien hoofdstukken en drie bijlagen. Ieder hoofdstuk behandelt een of meer regels van het Nederlands. Er wordt in dit boek geen compleet overzicht van de Nederlandse grammatica geboden. Het is op de eerste plaats een 'gebruiks-grammatica' en geen 'opzoekgrammatica'. Het doel van deze cursus is dat de gebruiker de hier aangeboden regels leert toepassen. De selectie van de grammaticaregels is tot stand gekomen op basis van onze werkzaamheden aan het INTT (het Instituut voor Nederlands als Tweede Taal) van de Universiteit van Amsterdam. Al het materiaal is aan dit instituut uitgetest.

Het oefeningenboek bevat twee delen: een A-deel voor beginners en een B-deel voor halfgevorderden. De oefeningen hebben een opbouw van receptief naar meer productief. Vooral in het B-deel staan spreekoefeningen waarin de regels in vrijere contexten worden geoefend. We proberen hiermee de stap naar het toepassen van de regels in communicatieve situaties te vergemakkelijken.

Op deze plaats willen we onze collega's bedanken voor het uittesten en kritisch lezen van het materiaal. Verder bedanken wij de cursisten van het INTT voor hun reacties en hun bereidwilligheid om als proef-konijn te fungeren. Zonder hun medewerking was het nooit mogelijk geweest dit boek te maken.

Commentaar en tips die voortkomen uit het gebruik van *Nederlands in hoofdlijnen* zijn altijd welkom.

Amsterdam, maart 1994

Ineke de Bakker
Marjan Meijboom
Adriaan Norbart
Carla Smits
Sylvia Vink

Inleiding

Doelgroep

Nederlands in hoofdlijnen is een grammaticacursus voor volwassen anderstaligen. Het theorieboek geeft een aantal belangrijke regels van de Nederlandse grammatica. In het oefeningenboek staan oefeningen op twee niveaus. De cursus is daarom geschikt voor degenen die net zijn begonnen met het leren van het Nederlands en ook voor degenen die het Nederlands al enigszins beheersen.

Om dit boek te kunnen gebruiken is enig inzicht in de grammatica-regels van de eigen taal of een andere vreemde of tweede taal nodig. Daarom is deze cursus vooral geschikt voor taalleerders die enige jaren voortgezet onderwijs hebben gevolgd.

Doel

In dit boek komt een aantal belangrijke regels van de Nederlandse grammatica aan de orde. De aangeboden stof is dus beperkt en bestrijkt zeker niet de hele Nederlandse grammatica. Zowel het theorie- als het oefeningenboek is vooral gericht op het leren gebruiken van de grammaticaregels. Er wordt een aantal handzame regels aangeboden die de cursist moeten helpen bij de productieve taken, spreken en schrijven. Het doel van deze cursus is dan ook de taalleerder te helpen bij het toepassen van de grammaticaregels om zo een stapje dichter bij correct taalgebruik te komen.

We gaan er niet van uit dat de aangeboden regels na het doorwerken van deze grammatica perfect worden beheerst. Expliciete aandacht voor grammatica kan een leerder ertoe aanzetten meer open te staan voor de vormelijke kant van een taal. *Nederlands in hoofdlijnen* wil deze aanzet geven. Een grammaticaregel zal in eerste instantie heel bewust worden gebruikt. Op den duur kan dit bewuste gebruik leiden tot het daadwerkelijke verwerven van de regel; de regel wordt dan automatisch toegepast. Voor verwerving van de regels is echter veel meer nodig dan uitleg en oefeningen. Een ruim taalaanbod in de vorm van lees- en luistermateriaal is daarvoor onontbeerlijk.

Omdat *Nederlands in hoofdlijnen* bedoeld is als ondersteuning bij schrijven en spreken, betekent dit dat het in de les slechts een bescheiden plaats inneemt. Het zal altijd in combinatie met een andere methode moeten worden gebruikt.

Het theorieboek

Dit is het theorieboek van *Nederlands in hoofdlijnen*. Het bestaat uit veertien hoofdstukken. Er zijn drie bijlagen: informatie over de spelling, een lijst met een aantal onregelmatige werkwoorden en een overzicht van regels waarmee vaak fouten worden gemaakt bij het schrijven.

In ieder hoofdstuk wordt ingegaan op één of meer regels van het Nederlands. Voorbeeldzinnen maken duidelijk welke regel behandeld gaat worden. Daarna wordt de regel uitgelegd. Deze volgorde biedt de cursist* de gelegenheid eerst zelf een bepaalde systematiek te ontdekken. Als de regel vervolgens wordt uitgelegd, is de kans groter dat de cursist hem beter begrijpt.

Ieder hoofdstuk wordt afgesloten met een opsomming van de belangrijkste regels van het hoofdstuk. In de kaders staan de regels nog eens heel kort geformuleerd. Zo hebben de regels meer het karakter van gebruiksregels die toepasbaar zijn bij taalproductie.

Het is de bedoeling dat dit theorieboek twee keer wordt doorgenomen: een keer op het beginnersniveau in combinatie met de A-oefeningen en een keer in combinatie met de B-oefeningen. Verder staat er bij sommige hoofdstukken extra informatie alleen bedoeld voor het halfgevorderden niveau. Deze stof is ondersteund door een grijs vlak.

Soms staat er in de theorie een ➤ om aan te geven dat er eerst een oefening gemaakt moet worden. Die oefening maakt het mogelijk zelf de regel te ontdekken. Als je zelf een grammaticaregel ontdekt, onthoud je hem vaak ook beter. De theorie wordt pas gelezen nadat de afleidoefening gemaakt is.

---

* Overal waar we 'hij', 'cursist' en 'docent' gebruiken, bedoelen we ook 'zij', 'cursiste' en 'docente'.

De bijlage over spelling kan op ieder gewenst moment bestudeerd worden, bijvoorbeeld wanneer de oefeningen voor het meervoud of voor het adjectief worden gedaan en spellingskwesties aan de orde komen. Bijlage 2 – de lijst met onregelmatige werkwoorden – hoort bij hoofdstuk 2. In bijlage 3 staan aanwijzingen die gebruikt kunnen worden bij de correctie van schrijfproducten.

Opbouw

Er is nog niet zo veel bekend over de verwervingsvolgorde van de regels van het Nederlands. Zo is het moeilijk te zeggen of de scheidbare werkwoorden nu eerder of later dan de relatieve bijzin worden verworven. Toch bevelen wij aan om uit praktisch oogpunt de hoofdstukken in het theorie- en het oefeningenboek in de aangeboden volgorde door te werken. Soms heb je namelijk de ene grammatica-regel nodig om over de andere te kunnen praten.

Symbolen

Een blik in het theorieboek maakt duidelijk dat het boek vol staat met allerlei symbolen. Dit is gedaan om de herkenbaarheid van enkele belangrijke elementen van de Nederlandse zin te vergroten. Ook wanneer je moeite hebt om de termen (zoals het subject, de persoonsvorm) te onthouden, is het zo toch mogelijk om over de grammatica te praten of te schrijven. De betekenis van de symbolen is als volgt.

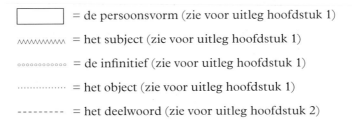

Ten slotte

Bij *Nederlands in hoofdlijnen* hoort een uitgebreide docenten-handleiding. Daarin geven we een verantwoording en wordt informatie gegeven over hoe *Nederlands in hoofdlijnen* in een cursus gebruikt kan worden.

1

De zin

Dit hoofdstuk gaat over eenvoudige zinnen in het Nederlands.

1 Hoofdletter en punt

1 Ik woon nu in Nederland.
2 Deze straat heet de Weverstraat.
3 Wij gebruiken dit grammaticaboek.

Dit zijn zinnen: ze beginnen met een **HOOFDLETTER** en eindigen met een **punt** (.).

2 Het subject

4 Eric [lacht].
5 De stoel [valt].
6 Sarah [zingt].
7 Hij [doet] aan sport.
8 De les [begint] om 9 uur.
9 De boeken [liggen] op tafel.

Ook hier zie je weer dat de zin begint met een **HOOFDLETTER** en eindigt met een **punt**. Maar je kunt meer over deze zinnen zeggen:

– In iedere zin staat een **werkwoord**:
in zin 4: lacht,
in zin 5: valt,
in zin 6: zingt,
in zin 7: doet,
in zin 8: begint,
in zin 9: liggen.
Het werkwoord geeft informatie over **wat** er gedaan wordt.

– In zin 4 t/m 9 staat ook een **subject**. Het subject is de persoon die iets doet of het ding dat iets 'doet'.
In iedere zin staat een subject:
in zin 4: Eric,
in zin 5: De stoel,
in zin 6: Sarah,
in zin 7: Hij,
in zin 8: De les,
in zin 9: De boeken.

3

Het werkwoord

10 Abdelhafid $\boxed{\text{kan}}$ goed dansen.

11 Els $\boxed{\text{zit}}$ steeds te praten.

12 Tim $\boxed{\text{moet}}$ heel hard werken.

13 In deze cursus $\boxed{\text{moeten}}$ de studenten heel hard werken.

Soms staan er in een zin meer werkwoorden:
in zin 10: kan en dansen,
in zin 11: zit en praten,
in zin 12: moet en werken
in zin 13: moeten en werken.

'kan', 'zit', 'moet' en 'moeten' zijn **persoonsvormen**. De persoonsvorm is het werkwoord dat bij het subject hoort.
De persoonsvorm verandert als het subject verandert, bijvoorbeeld bij zin 12 en 13:

enkelvoud: Tim $\boxed{\text{moet}}$

meervoud: de studenten $\boxed{\text{moeten}}$

In hoofdstuk 2 staat welke vormen de persoonsvorm kan hebben. Ook bij zin 4 t/m 9 heeft het subject een directe relatie met de persoonsvorm.
Het subject staat steeds direct vóór of direct achter de persoonsvorm: bij zin 4 t/m 12 staat het subject voor de persoonsvorm, in zin 13 staat het subject direct achter de persoonsvorm.

'dansen', 'praten' en 'werken' noemen we **infinitieven**. De infinitief is de vorm van het werkwoord zoals die in het woordenboek staat.
Als het subject verandert, verandert de persoonsvorm wel maar de infinitief niet. Die houdt dezelfde vorm (zie zin 12 en 13). De infinitief staat in het Nederlands vaak op de laatste plaats in de zin.

14 Thomas │wil│ niet blijven eten.

15 Els │zal│ Tessa vrijdag opbellen.

Let op:
- In iedere zin staat altijd slechts één persoonsvorm maar er kunnen wel meer infinitieven in staan.
- De persoonsvorm is een vorm van het werkwoord en is dus niet een persoon.

4

Het object

16 Sarah │maakt│ haar huiswerk.

17 Tim │ziet│ iets.

18 Eric │kent│ veel mensen.

19 Els │wil│ een brief schrijven.

20 De les │begint│.

21 De les │begint│ om tien uur.

Bij veel werkwoorden is een subject alleen niet voldoende om een complete zin te maken. Kijk maar naar zin 16. 'Sarah maakt.' is geen goede zin. Je weet dan niet **wat** Sarah maakt. Je hebt meer informatie nodig om deze zin goed te kunnen begrijpen: Sarah maakt haar huiswerk. 'haar huiswerk' is **object**.
Hetzelfde zie je bij zin 17: 'Tim ziet.' is geen complete zin. Er moet een object bij, hier: 'iets'.
Bij veel werkwoorden **moet** je een object gebruiken. Als er bij die

werkwoorden geen object staat, dan is de zin niet compleet. Die zin kun je dus niet afsluiten met een punt.

Bij zin 20 en 21 is dat anders. In zin 20 vormt het werkwoord 'begint' samen met het subject wel een complete zin. Er is geen object nodig. Maar je kunt wel extra informatie geven: zie zin 21.

De regels van hoofdstuk 1 zijn:

1	**Hoofdletter** en **punt**: Iedere zin begint met een HOOFDLETTER en eindigt met een punt.

2	**Het subject**: In (bijna) iedere zin staat een subject: de persoon die iets doet of het ding dat iets doet.

Eric lacht.
De stoel valt.

3	**Het werkwoord**: **a** In (bijna) iedere zin staat een **persoonsvorm**: het werkwoord dat bij het subject hoort. De persoonsvorm verandert als het subject verandert. **b** In een zin kan behalve een persoonsvorm een **infinitief** staan. Soms bevat een zin meer infinitieven. De infinitief is een vorm van het werkwoord die nooit verandert.

enkelvoud: Tim moet hard werken.

meervoud: De studenten moeten hard werken.

<table>
<tr><td>**4**</td><td>**Het object**:
Bij veel werkwoorden moet je een object gebruiken. Zonder object is een zin met zo'n werkwoord niet compleet.</td></tr>
</table>

Eric kent veel mensen.

2

Het werkwoord

Het werkwoord in een zin is heel belangrijk. Het geeft veel informatie:
- wat wordt er gedaan?
- wanneer wordt iets gedaan: nu, vroeger of in de toekomst?

Het presens: de tegenwoordige tijd

1 Ik luister naar mooie muziek.

2 Wij drinken een kopje koffie.

3 Zij komt uit China.

4 Hoe kom jij naar de les? Met de tram of met de fiets?

5 Jij kent al een beetje Nederlands.

6 Volgende week begint Eric met zijn nieuwe baan.

7 Jullie luisteren naar mooie muziek.

8 Sorry, maar zij begrijpen niet wat jij zegt!

9 In dit gebouw werken ongeveer 100 mensen.

Het presens gebruik je in het Nederlands voor iets wat nu gebeurt
(zin 1, 2, 7, 8), maar je kunt het ook gebruiken voor iets wat in de
toekomst gebeurt (zin 6) of voor feiten/algemene beweringen
(zin 3, 4, 5, 9).

De vormen van de **regelmatige werkwoorden** zijn:

werken			luisteren		
ik	werk		ik	luister	
je		maar: werk je	je		maar: luister je
u	werk**t**		u	luister**t**	
hij/ze/het			hij/ze/het		
we			we		
jullie	werk**en**		jullie	luister**en**	
ze			ze		

Let op: als 'je' achter de persoonsvorm staat, krijgt de persoonsvorm geen 't'.

Er zijn ook werkwoorden die **een onregelmatig presens** hebben.

10 Ik ben twintig, hij is achtentwintig en zij is dertig.

11 Eric heeft een fiets maar hij wil eigenlijk liever een auto hebben.

12 Hij zal alle nieuwe woorden herhalen.

hebben		zijn	
ik	heb	ik	ben
je	hebt	je	
u	heeft/hebt	u	bent
hij/ze/het	heeft	hij/ze/het	is
we		we	
jullie	hebben	jullie	zijn
ze		ze	

willen		zullen	
ik	wil	ik	zal
je	wilt (wil)	je	zult (zal)
u		u	
hij/ze/het	wil	hij/ze/het	zal
we		we	
jullie	willen	jullie	zullen
ze		ze	

mogen		kunnen	
ik		ik	kan
je	mag	je	kunt (kan)
u		u	
hij/ze/het		hij/ze/het	kan
we		we	
jullie	mogen	jullie	kunnen
ze		ze	

6

Het imperfectum: de verleden tijd

13 Abdelhafid studeerde vorig jaar in Marokko.

14 Gisteren probeerde ik de nieuwe woorden te leren.

15 Vorige zomer werkte zij drie weken in die winkel.

16 Eric en Tim speelden samen in de tuin.

17 Zij wachtten op de trein naar Roosendaal.

18 Elsje maakte erg veel fouten in deze oefening.

Het imperfectum gebruik je voor iets wat vroeger, in het verleden gebeurd is.

Zo maak je het imperfectum.
Je gebruikt de vorm van het werkwoord in het presens die bij *ik* hoort.
Daar zet je **de** of **te** achter als het enkelvoud is. Als het meervoud is,
zet je er **den** of **ten** achter.

Dus: **ik-vorm + de(n)**   of **ik-vorm + te(n)**.

ik			ik		
je			je		
u	speel**de**		u	werk**te**	
hij/ze/het			hij/ze/het		
we			we		
jullie	speel**den**		jullie	werk**ten**	
ze			ze		

Ook hier zijn er onregelmatige werkwoorden. Dan gebruik je deze
regel niet. Deze werkwoorden staan in bijlage 2.

19 Gisteren was mijn moeder jarig.

20 Vorig jaar had ik nog geen auto.

___

7

Het perfectum: ook verleden tijd

21 Iedereen heeft de teksten goed geleerd.

22 Ik heb vorige zomer tijdens de vakantie in een restaurant gewerkt.

23 Lies heeft het huiswerk niet gemaakt.

24 Vorige zomer ben ik met de boot naar Zweden gegaan.

Voor iets wat vroeger gebeurd is, kun je ook het perfectum gebruiken.

Het perfectum bestaat uit *twee delen*:
1 een persoonsvorm van 'hebben' of 'zijn' en
2 een deelwoord.

Zo maak je het deelwoord:

ge + ik-vorm + d/t

De meeste werkwoorden die in het imperfectum onregelmatig zijn, zijn in het perfectum ook onregelmatig (zie ook bijlage 2).

Je kunt niet aan de werkwoorden zien of je 'hebben' of 'zijn' als persoonsvorm moet gebruiken in het perfectum. Een regel is: als er een verandering is (b.v. van richting), gebruik je 'zijn'.

Vergelijk:
We [hebben] gisteren in het bos gefietst.
We [zijn] gisteren van Amsterdam naar Den Helder gefietst.

8

Het d/t-probleem

werk**te** – gewerk**t**
duur**de** – geduur**d**

Je neemt de infinitief van het werkwoord (werken). Je streept **-en** aan het eind weg (werk~~en~~) en dan kijk je of de laatste letter in **'T KoFSCHiP** staat. Als die laatste letter in 'T KoFSCHiP staat, krijg je een *t*. In alle andere gevallen krijg je een *d*.

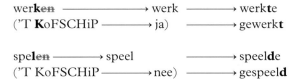

wer~~ken~~ ⟶ werk ⟶ werk**te**
('T **K**oFSCHiP ⟶ ja) ⟶ gewerk**t**

spe~~len~~ ⟶ speel ⟶ speel**de**
('T KoFSCHiP ⟶ nee) ⟶ gespeel**d**

9

Het deelwoord zonder 'ge-'

25 Lies [heeft] mijn woordenboek gebruikt.

26 De les [is] al begonnen.

27 [Heb] je mijn vraag verstaan?

28 Abdelhafid [heeft] gisteren mijn broer ontmoet.

Het deelwoord van werkwoorden die met:
ge-, **be-**, **ver-**, **her-**, **ont-**, **er-** beginnen, krijgt geen '**ge**'.

gebruiken ⟶ gebruikt
beginnen ⟶ begonnen
verstaan ⟶ verstaan
ontmoeten ⟶ ontmoet
herhalen ⟶ herhaald
erkennen ⟶ erkend

Wanneer gebruik je het imperfectum en wanneer het perfectum?
Het is moeilijk om daar één duidelijke regel voor te geven die altijd
geldt. Er zijn echter wel verschillen tussen het imperfectum en het
perfectum. Hier volgen er twee.

1 Het perfectum gebruik je voor een gebeurtenis die afgelopen is; het
  imperfectum voor iets wat geen bepaalde tijdsduur heeft, voor een
  gewoonte enz.

  Vergelijk:
  Ik ben helaas drie keer gezakt voor het rijexamen.

  Ik zakte drie keer voor het rijexamen. (vreemde zin)

  – Rookte je vroeger veel?

  – Ja, ik rookte zeker twee pakjes per dag.

2 Het perfectum gebruik je om een onderwerp te introduceren. Voor
  de verdere gedetailleerde beschrijving gebruik je het imperfectum.
  Vorige zomer ben ik in Zweden geweest. We hebben daar
  gefietst. Het landschap was prachtig en het was erg rustig op
  de wegen. Gemiddeld fietsten we zo'n 100 kilometer per dag.

  In de eerste twee zinnen wordt het onderwerp geïntroduceerd.
  Daarna wordt er een precieze beschrijving gegeven.

10

Meer werkwoorden in een zin

Er kunnen op twee manieren meer werkwoorden in een zin staan:
persoonsvorm + deelwoord en
persoonsvorm + infinitief/infinitieven.

Er staat in een zin altijd maar **één** persoonsvorm!

29 Ik boxed{heb} gewerkt.

30 Tessa en Lies boxed{zijn} naar de film geweest.

31 Els boxed{begint} te werken.

32 Sarah boxed{kan} niet komen werken.

Als de persoonsvorm 'hebben' of 'zijn' is, krijg je een deelwoord.
Als er een andere persoonsvorm is, krijg je bijna altijd een infinitief.

De regels van hoofdstuk 2 zijn:

5	Het **presens** = nu/toekomst/feiten
	ik werk
	je/u/hij/ze/het werk**t** maar: werk je
	we/jullie/ze werk**en**

Ik boxed{luister} naar mooie muziek.

Jij boxed{kent} al een beetje Nederlands.

6	Het **imperfectum** = verleden tijd
	ik-vorm + te(n)/de(n)

Abdelhafid boxed{studeerde} vorig jaar in Marokko.

Eric en Tim boxed{speelden} samen in de tuin.

7	Het **perfectum** = verleden tijd
	hebben/zijn + ge + ik-vorm + d/t

Iedereen boxed{heeft} de teksten goed geleerd.

Lies boxed{heeft} het huiswerk niet gemaakt.

8	**d** of **t** bij het imperfectum en het perfectum: **'T KoFSCHiP** ———→ t

wer*k*en werk*te* en gewerk*t*
spe*l*en speel*de* en gespee*l*d

9	Werkwoorden met ge-, be-, ver-, ont-, her-, er- ———→ deelwoord zonder **ge-**

Lies heeft mijn woordenboek gebruikt.

De les is al begonnen.

10	Persoonsvorm hebben/zijn ———→ 2e werkwoord deelwoord Andere persoonsvorm ———→ 2e werkwoord infinitief

Ik heb gewerkt.

Tessa en Lies zijn naar de film geweest.

Els begint te werken.

Het substantief en de lidwoorden

Het substantief

de man	de discussie
de liefde	het huis
het geluk	de sigaret
de piano	het woord
het boek	de afstand

Woorden als man, liefde, geluk en piano zijn **substantieven**.
Voor een substantief kun je 'de' of 'het' zetten.

1 De *piano* staat in de kamer.
2 Sarah koopt de *piano*.
3 De *bloemen* staan op de tafel.
4 Thomas krijgt de *bloemen* van ons.
5 In het *huis* woont niemand.

Het substantief kan in de zin verschillende functies hebben:

Het kan **subject** zijn (zin 1 en 3),
of **object** (zin 2 en 4),
of iets anders (zin 5).

Het meervoud

enkelvoud	*meervoud*
het boek	de boeken
de stoel	de stoelen
het huis	de huizen
de man	de mannen
het woord	de woorden
de sigaret	de sigaretten

De meeste substantieven krijgen in het meervoud **-en**. Er zijn ook substantieven die in het meervoud **-s** krijgen. Dat hangt vaak af van de laatste klank.

de kam**er**	de kamers
de jong**en**	de jongens
het meis**je**	de meisjes
de taf**el**	de tafels
de vakant**ie**	de vakanties
de radi**o**	de radio's

Overzicht van veel voorkomende onregelmatige meervoudsvormen:

enkelvoud	*meervoud*
de dag	de dagen (niet: daggen)
het dak	de daken
het bedrag	de bedragen
de weg	de wegen
de god	de goden
de oorlog	de oorlogen
het lid	de leden
de stad	de steden
het schip	de schepen
-heid	-heden (mogelijkheden)
het ei	de eieren
het kind	de kinderen
het volk	de volkeren

De lidwoorden

Bij substantieven hoort bijna altijd een **lidwoord**: *de, het* of *een*.
6 a   Gisteren heb ik *een* film gezien.
    b   In *de* film zagen we *een* groot bos in India.
    c   In *het* bos had men twee kinderen gevonden: *een* jongen en *een* meisje.
    d   *De* jongen en *het* meisje waren al twee jaar vermist.

7 a   Vorig jaar heb ik op *een* cursus Engels gezeten.
    b   *De* cursus werd georganiseerd door de universiteit.
    c   We hadden *een* heel goede docent.
    d   We gebruikten *een* boek met teksten en daarnaast lazen we Engelse kranten.
    e   We moesten uit *het* boek per week drie teksten lezen.

8 Veel jonge mensen zoeken *een* woning.
9 Tegenwoordig heeft iedereen *een* televisie.

– Is het voor de luisteraar (nog) niet helemaal duidelijk over welke persoon of zaak je spreekt, of spreek je over een persoon of zaak in het algemeen?
   Gebruik: **een**.
– Is het voor de luisteraar wel duidelijk over welke persoon of zaak je spreekt?
   Gebruik: **de** of **het**.

In zin 6a wordt voor de eerste keer iets gezegd over een film. In dat geval gebruik je **een**. Vanaf dat moment is het onderwerp bekend en praat je over **de** film. Zo gaat het ook met **een** bos > **het** bos, **een** jongen > **de** jongen en **een** meisje > **het** meisje.

In zin 8 en 9 wordt gesproken over **een** woning en **een** televisie in het algemeen.

De of het

Meestal weet je niet welk lidwoord bij een substantief hoort: **de** of **het**. In het meervoud is het makkelijk, dan is het altijd **de**.

de stoel   **de** stoelen
de film   **de** films
het boek   **de** boeken

Geen lidwoord

Sommige onbepaalde substantieven krijgen geen lidwoord:

a Een onbepaald substantief in het meervoud.

In de straat staat *een* boom.   In de straat staan bomen.
Hij heeft *een* hond.   Hij heeft honden.

b Een onbepaald substantief dat je niet kunt tellen.

Is er nog *melk* in de ijskast?
Ieder mens houdt van *muziek*.

Deze, die / dit, dat

10 Gaat *deze* bus naar Haarlem?
    Nee, maar *die* bus wel, daar op de hoek.
11 Is *dit* boek van jou?
    Nee, *dat* boek is van mij, daar op *die* tafel.
12 *Deze* boeken zijn van Sarah en *die* boeken zijn van Tim.

Op de plaats van het lidwoord kunnen de woorden **deze**, **die**, **dit** of
dat staan. Met deze woorden wijs je met meer nadruk naar een
bepaalde persoon of zaak.

		dichtbij	*ver weg*
Bij **de**-woorden ⟶ (zoals: **de** bus)		**deze**	**die**
Bij **het**-woorden ⟶ (zoals: **het** boek)		**dit**	**dat**

Deze of **dit** gebruik je voor personen of zaken dichtbij.
Die of **dat** gebruik je voor personen of zaken verder weg.

Niet of geen

Eric geeft *een feest*.	Sarah geeft *geen feest*.
Zij drinken *thee*.	Wij drinken *geen thee*.
Ik leer *Nederlands*.	Thomas leert *geen Nederlands*.
Hier verkoopt men *fietsen*.	Hier verkoopt men *geen fietsen*.
Ik heb *die film* gezien.	Hij heeft die film *niet* gezien.
Kan jij tennissen?	Nee, ik kan *niet* tennissen.
Neem je *de bus*?	Nee, ik neem *niet* de bus maar de tram.

Geen gebruik je voor een onbepaald substantief.
In alle andere gevallen gebruik je **niet**.

De regels van hoofdstuk 3 zijn:

11	Substantieven krijgen in het meervoud **-en** of **-s**.

het boek – de boek**en**
het huis – de huiz**en**
de kamer – de kamer**s**

12	Bij substantieven hoort bijna altijd een lidwoord: **de**, **het** of **een**. **een** ⟶ de persoon of zaak is bij de luisteraar (nog) niet bekend, men spreekt over een zaak of persoon in het algemeen. **de**, **het** ⟶ de persoon of zaak is bij de luisteraar bekend.

Ik heb gisteren **een** broek gekocht.
De broek is zwart.
Veel mensen hebben **een** computer.

13

In twee gevallen komt er geen lidwoord voor het substantief:
a als een onbepaald substantief in het meervoud staat.
b als je het onbepaalde substantief niet kunt tellen.

In de kast staan **kopjes**.
Els drinkt elke dag **koffie**.
Hij doet **boter** in de pan.

14

	dichtbij:	*verder weg:*
De-woorden	**deze**	**die**
Het-woorden	**dit**	**dat**

Deze pen is niet van mij, maar **die** pen daar wel.
Dit boek heb ik niet gelezen, maar **dat** boek wel.

15

Voor een onbepaald substantief: ⟶ **geen**
In andere gevallen: ⟶ **niet**

Eric geeft **een feest**.   Sarah geeft **geen feest**.
Kan jij tennissen?   Nee, ik kan **niet** tennissen.

Het adjectief

Het adjectief

1 In de kamer staan een **witte** stoel en een **rode** stoel.
2 Sarah zit op de **rode** stoel.
3 Abdelhafid heeft een **nieuw** huis.
4 Sinds twee maanden woont hij in het **nieuwe** huis.
5 In die buurt staan veel **nieuwe** huizen.
6 Een reis naar Indonesië is **duur**.
7 Het eten in dat restaurant is niet **lekker**.

Woorden als 'rood', 'nieuw', 'wit', 'lekker' en 'duur' zijn voorbeelden van **adjectieven**.
Adjectieven geven meer informatie over substantieven.
Soms staan adjectieven **voor** een substantief (zin 1 t/m 5) maar ze kunnen ook **zelfstandig** gebruikt worden (zin 6 en 7).

de rod**e** stoel	het nieuw**e** huis
een rod**e** stoel	een nieuw huis
rod**e** stoelen	nieuw**e** huizen
De stoel is rood.	Het huis is nieuw.

Een adjectief krijgt een 'e' aan het eind, behalve als het adjectief:
a voor een onbepaald het-woord staat (een nieuw huis) of
b zelfstandig gebruikt wordt (Het huis is nieuw).

Vergelijken: geen verschil

8 Ik vind Stockholm **even mooi als** Parijs.
9 Deze Renault is ongeveer **even duur als** die Peugeot.
10 Het klimaat in Engeland is **net zo slecht als** dat in Nederland.

Als je twee dingen met elkaar vergelijkt en je vindt dat er geen verschil bestaat, gebruik je de volgende constructie:

even + adjectief + **als** (zin 8 en 9) of
net zo + adjectief + **als** (zin 10).

Vergelijken: de comparatief en de superlatief

11 Frankrijk is **groter dan** België.
12 De bevolking groeit tegenwoordig **sneller dan** vroeger.
13 Eric vindt voetballen leuk maar tennissen vindt hij een **leukere** sport.
14 Amsterdam is de **grootste** stad van Nederland.
15 De tekst over politiek is de **moeilijkste** tekst van dat boek.
16 Alle kamers in dat huis zijn tamelijk groot maar de woonkamer is **het grootste**.
17 Parijs is ver van Amsterdam. Barcelona is nog **verder** maar Casablanca is **het verste**.

Als je twee dingen met elkaar vergelijkt en je vindt dat er wel een verschil is, kun je de **comparatief** of de **superlatief** gebruiken.

de comparatief: **adjectief + er (+ dan)**
              (zin 11, 12, 13)
de superlatief: **adjectief + st(e)**
              (zin 14, 15, 16, 17)

De comparatief en de superlatief krijgen soms ook een 'e' aan het eind en soms niet. De regels hiervoor zijn precies hetzelfde als die voor het gewone adjectief (zie paragraaf 16).
Bij de superlatief moet **altijd** een bepaald lidwoord gebruikt worden (zin 14, 15).

Als de superlatief zelfstandig gebruikt wordt (zin 16, 17):
– moet je het lidwoord 'het' gebruiken,
– mag de superlatief met 'e' of zonder 'e' gebruikt worden.

Als een adjectief op een 'r' eindigt (zin 17), dan wordt de vorm van de comparatief: adjectief + **der**.
Dus: ver → ver**d**er, duur → duur**d**er.

Er zijn een paar onregelmatige comparatief- en superlatiefvormen die vaak voorkomen:

goed   – beter   – beste
weinig – minder – minste
veel   – meer   – meeste
graag – liever – liefste

De regels van hoofdstuk 4 zijn:

---

16   Een adjectief krijgt een 'e' aan het eind, behalve als het:
a   voor een onbepaald het-woord staat,
b   zelfstandig gebruikt wordt.

---

de rod**e** stoel   het nieuw**e** huis
een rod**e** stoel   een nieuw   huis
rod**e** stoelen   nieuw**e** huizen
De stoel is rood.   Het huis is nieuw.

---

17   Vergelijken, geen verschil:
        even   + adjectief + **als**
of: **net zo** + adjectief + **als**

Ik vind Stockholm **even mooi als** Parijs.
Ik vind Stockholm **net zo mooi als** Parijs.

---

18   Vergelijken, wel een verschil:
de comparatief: adjectief + **er (+ dan)**
de superlatief: adjectief + **st(e)**
De e-regel is hetzelfde als die voor het gewone adjectief.

Frankrijk is **groter dan** België.
Eric vindt tennissen een **leukere** sport **dan** voetballen.
Amsterdam is de **grootste** stad van Nederland.
De woonkamer is **het grootste**.

5

Pronomina

Pronomina zijn woorden die je gebruikt wanneer je over mensen, dingen of zaken praat. Je wilt ze niet steeds noemen. Met **pronomina** verwijs je naar die mensen, dingen of zaken.

Pronomina: verwijzen naar personen

Subject

We hebben in hoofdstuk 1 besproken wat het subject is: de persoon die iets doet of het ding dat iets doet.

1 Sarah leest de krant.

Sarah is de persoon die iets doet. Sarah is het subject. Op de plaats van het subject kunnen de volgende pronomina staan.

		Uitspraak:
Ik	lees de krant.	'k lees de krant.
Je/jij	leest de krant.	
U	leest de krant.	
Hij	leest de krant.	Leest ie de krant?
Ze/zij	leest de krant.	
Men	leest de krant.	
We/wij	lezen de krant.	
Jullie	lezen de krant.	
Ze/zij	lezen de krant.	

Deze pronomina gebruik je dus als subject. Je praat met deze pronomina steeds over mensen. **Je**, **ze** en **we** zijn de vormen zonder accent. **Jij**, **zij** en **wij** zijn de vormen met accent.

2 Ben **jij** gezakt voor je rijexamen? Hoe is dat mogelijk? Ik had het van iedereen verwacht, maar niet van jou.
3 Nee, ik kook vandaag niet. Ik vind dat **jij** dat moet doen; ik heb al genoeg gedaan.
4 Nee mevrouw, **wij** zijn nu aan de beurt. We staan hier al een uur en u komt net binnen.

'Men' gebruik je voor mensen in het algemeen. Je kunt ook 'je' voor mensen in het algemeen gebruiken.

5 Waar kan **men** informatie over deze cursus krijgen?
6 Kun **je** ook met de trein naar Zandvoort?

Object

Wanneer de pronomina geen subject zijn, gebruik je de volgende vormen:

	Uitspraak:
Thomas ziet me/mij.	
Thomas ziet je/jou.	
Thomas ziet u.	
Thomas ziet hem.	Thomas ziet 'm.
Thomas ziet haar.	Thomas ziet 'r.
Thomas ziet ons.	
Thomas ziet jullie.	
Thomas ziet ze/hen/hun.	

Deze pronomina gebruik je als object en na woorden als 'van', 'met' of 'aan'.

7 Thomas gaat met **hem** naar de bioscoop.

Je praat met deze pronomina ook steeds over mensen. **Me**, **je** en **ze** zijn de vormen zonder accent. **Mij**, **jou**, **hen** en **hun** zijn de vormen met accent.

Possessief

Als je wilt vertellen dat iets het bezit van iemand is, kun je een
possessief pronomen gebruiken.

		Uitspraak:
mijn	fiets	m'n fiets
je/jouw	fiets	
uw	fiets	
zijn	fiets	z'n fiets
haar	fiets	d'r fiets
onze★	fiets	
jullie	fiets	
hun	fiets	

Deze vormen gebruik je alleen als het substantief erachter staat.
In de andere gevallen gebruik je de pronomina uit het 'objectrijtje'.
Kijk naar het verschil:

mijn boek   — dat boek is van **mij**

Het possessief pronomen kan ook zelfstandig gebruikt worden.
Vergelijk:
Is dit **jouw** jas of is het **de mijne**?

de/het mijne
de/het jouwe
de/het uwe
de/het zijne
de/het hare
de/het onze
de/het hunne

★ Bij een het-woord wordt het **ons**, bijvoorbeeld **ons** boek.

Pronomina: verwijzen naar dingen of zaken

Subject

Op de plaats van het subject kunnen de volgende pronomina staan.

Het huis ligt in het centrum. — Het ligt in het centrum.

De zomer begint op 21 juni. — Hij begint op 21 juni.

De lessen beginnen vroeg. — Ze beginnen vroeg.

De regel is:

het-woorden ⟶ het
de-woorden ⟶ hij
meervoud ⟶ ze

Object

Op de plaats van het object kunnen de volgende pronomina staan.

Ik koop het boek. — Ik koop het.

Ik koop de jas. — Ik koop hem.

Ik koop de boeken. — Ik koop ze.

De regel is:

het-woorden ⟶ het
de-woorden ⟶ hem
meervoud ⟶ ze

Verwijzen met die of dat

8 Ken jij **de broer van Sarah**? Nee, **die** ken ik niet.
9 Waar zijn **de kinderen**? **Die** zijn nog buiten.
10 Die schrijver heeft **een nieuw boek** geschreven. Heb jij **dat** al gelezen?
11 Van wie is **die rode jas**? **Die** is van mij.
12 **Eric komt ook op het feestje**. O, **dat** wist ik niet.
13 Vind jij **boodschappen doen** ook zo vervelend? Nee, **dat** vind ik juist leuk.

Met **die** of **dat** kun je ook verwijzen naar iets wat eerder genoemd is. Naar mensen (zin 8 en 9), naar dingen of zaken (zin 10 en 11) en naar acties of gebeurtenissen (zin 12 en 13).
Er is geen verschil in vorm tussen subject en object.

Met 'die' en 'dat' geef je soms wat meer accent.
'Die' gebruik je bij personen en bij de-woorden.
'Dat' gebruik je bij acties of gebeurtenissen en bij het-woorden.

De regels van hoofdstuk 5 zijn:

---

19 *Verwijzen naar personen:*

Subject	Object	Possessief	Possessief zelfstandig gebruikt
ik	me/mij	mijn	de mijne
je/jij	je/jou	je/jouw	de jouwe
u	u	uw	de uwe
hij	hem	zijn	de zijne
ze/zij	haar	haar	de hare
men			
we/wij	ons	onze/ons	de onze
jullie	jullie	jullie	–
ze/zij	ze/hen/hun	hun	de hunne

---

20 *Verwijzen naar dingen of zaken:*

	Subject	Object
het-woord ⟶	het	het
de-woord ⟶	hij	hem
meervoud ⟶	ze	ze

---

21 *Verwijzen met die of dat:*

Verwijs je naar personen of de-woorden?
Gebruik **die**.
Verwijs je naar acties, gebeurtenissen of het-woorden?
Gebruik **dat**.

6

Preposities en woordgroepen

Preposities

1 **Tijdens** de vakantie is de universiteit gesloten.
2 **In** het weekend werk ik **in** een café **in** het centrum **van** de stad.
3 De studenten luisteren **naar** de leraar.
4 Tim koopt bloemen **voor** Els.

Preposities zijn woorden als:

op	van	tussen	onder	naar
tijdens	wegens	voor	aan	tot
bij	in	door	met	achter

Woordgroepen

In de hoofdstukken hiervoor hebben we gezien dat je een zin maakt door verschillende woorden met elkaar te combineren. Zo kun je een zin maken met een substantief en een werkwoord zoals in: 'De docent zwijgt'.

5 <u>De nieuwe woorden</u> staan <u>in de woordenlijst</u>.
   woordgroep   **woordgroep**
6 <u>In het weekend</u> zijn <u>bijna alle universiteiten</u> dicht.
   woordgroep   **woordgroep**

Sommige woorden in een zin vormen een geheel. We noemen dat een **woordgroep**. Vaak beginnen woordgroepen met een prepositie.

De woorden van een woordgroep mogen meestal niet buiten de
woordgroep, op een andere plaats in de zin, gebruikt worden.
De volgende zin is dus onmogelijk:

7 In zijn het weekend bijna alle universiteiten dicht.

Als je een tekst leest, is het belangrijk om op de woordgroepen te
letten. Vaak kun je een moeilijke zin dan beter begrijpen.

8 De door de docent gegeven les was voor een aantal uit verre landen
   gekomen studenten niet moeilijk.

Als je alle extra informatie uit deze zin haalt, dan staat er:
'De les was voor de studenten niet moeilijk'.

9   Mijn rijke oom uit Amerika koopt altijd enorm veel cadeautjes voor
    ons.
10 Het door mij gemaakte huiswerk ligt op die grote houten tafel.
11 Ik zit in een groep met diverse andere buitenlandse studenten.
12 Bijna alle klanten van dat restaurant vonden het door de nieuwe kok
    klaargemaakte eten heel lekker.

Een woordgroep kan heel lang zijn doordat er tussen het lidwoord of
de prepositie en het substantief heel veel extra informatie staat
(zie zin 9, 10, 11 en 12).

De regels van hoofdstuk 6 zijn:

22	Preposities zijn woorden als: in, op, voor, tussen, van, aan, onder, wegens, tijdens enz.

In welke stad ben jij geboren?
Deze trein stopt drie keer **tussen** Amsterdam en Utrecht.

23	Een woordgroep is een groep woorden die bij elkaar horen. Ze vormen een geheel.

De kleur van het boek is groen.
De meeste winkels zijn op zaterdag open.
Uit deze door u ingevulde gegevens blijkt dat u met de cursus
Nederlands kunt beginnen.

7

De hoofdzin

In hoofdstuk 1 hebben we de belangrijkste elementen van een zin besproken.

De woordvolgorde in de hoofdzin

➤ A1

1 Eric	begint	volgend jaar met zijn studie.	
2 Vorig jaar	wilde	Tim met zijn studie	beginnen.
3 Tim	wil	dit jaar met zijn studie	beginnen.
4 Vorig jaar	is	Sarah met haar studie	begonnen.
5 Zijn studie	vindt	Thomas nu niet zo leuk.	
6 Waarom	is	Sarah niet in Utrecht	gaan studeren?

– De persoonsvorm en het subject staan altijd zo dicht mogelijk bij elkaar. Het subject staat direct **voor** of direct **achter** de persoonsvorm.
– Soms staat het subject op de eerste plaats (zin 1 en zin 3). Soms staat een ander woord of een andere woordgroep op de eerste plaats (zin 2, 4, 5 en 6). De persoonsvorm moet echter altijd op de **tweede** plaats blijven staan. Als het subject niet op de eerste plaats staat, dan staat het dus op de derde plaats.
– Alle andere werkwoorden in de zin staan meestal helemaal achteraan (zin 2, 3, 4 en 6).

Een zin met deze structuur noemen we een **hoofdzin**. In hoofdstuk 9 wordt nog een ander soort zin besproken: de bijzin.

1 Tim	wil	dit jaar al met zijn studie beginnen.
2 Vorig jaar	is	Sarah met haar studie begonnen.
3 Waarom	heeft	Sarah niet in Utrecht gestudeerd?
4 Abdelhafid	heeft	de taal sneller dan Sarah geleerd.
5 Els	kan	net zo hard als Tim fietsen.
6 Tim	wil	dit jaar al beginnen met zijn studie.
7 Vorig jaar	is	Sarah begonnen met haar studie.
8 Waarom	heeft	Sarah niet gestudeerd in Utrecht?
9 Abdelhafid	heeft	de taal sneller geleerd dan Sarah.
10 Els	kan	net zo hard fietsen als Tim.

De infinitief en het deelwoord staan op de laatste plaats (zin 1, 2, 3, 4 en 5).
Achter de infinitief en het deelwoord kunnen staan:
— één woordgroep met een prepositie (zin 6, 7 en 8).
— een vergelijking met 'dan' of 'als' (zin 9 en 10).

Hoofdzin en hoofdzin

In hoofdstuk 1 hebben we als eerste kenmerk van een zin genoemd: een zin begint met een HOOFDLETTER en eindigt met een punt. Zo'n zin kun je ook langer maken door **twee hoofdzinnen** met elkaar te combineren.

hoofdzin	conjunctie	hoofdzin

zin

7 Els en Eric | beginnen | te lachen   want   Sarah | vertelt | een grapje.

8 De cursisten | volgen | hier eerst een cursus   of   ze | doen | direct examen.

9 Vroeger | stierven | mensen jong   maar   nu | worden | mensen veel ouder.

10 Sinaasappels | schijnen | gezond te zijn   en   daarom | eet | ik er twee per dag.

11 Ik | word | gek van dit leven   dus   ik | ga | een wereldreis maken.

want – **of** – **maar** – **en** – **dus** worden **conjuncties** genoemd. Alleen met deze vijf conjuncties kun je twee hoofdzinnen combineren.

11a Morgen | wil | ik mijn boodschappen doen en ~~morgen~~ | zal | ik ook al mijn huiswerk maken.

In de eerste hoofdzin staat hetzelfde woord op de eerste plaats als in de tweede hoofdzin. Dat woord mag dan weg in de tweede hoofdzin (zie zin 11.b).

11b Morgen | wil | ik mijn boodschappen doen en | zal | ik ook al mijn huiswerk maken.

12a De minister | heeft | een heel grote fout gemaakt en ~~de minister~~ | moet | daarom verdwijnen.

12b De minister | heeft | een heel grote fout gemaakt en | moet | daarom verdwijnen.

De regels van hoofdstuk 7 zijn:

24   **De hoofdzin:**
- **a**   In de hoofdzin staat de persoonsvorm altijd op de tweede plaats.
- **b**   In de hoofdzin staat het subject altijd direct **voor** of **achter** de persoonsvorm.
- **c**   Alle andere werkwoorden staan meestal achteraan in de zin.

Eric begint volgend jaar met zijn studie.

Vorig jaar wilde Tim met zijn studie beginnen.

25a   Je kunt een **hoofdzin** met een andere **hoofdzin** combineren en er **één zin** van maken. Dit is alleen mogelijk met de volgende conjuncties: **want** – **of** – **maar** – **en** – **dus**

Els en Eric beginnen te lachen want Sarah vertelt een grapje.

De cursisten volgen hier eerst een cursus of ze doen direct examen.

25b   Als je twee hoofdzinnen combineert, kun je het volgende doen. Staat in de eerste hoofdzin hetzelfde woord of dezelfde woordgroep op de eerste plaats als in de tweede hoofdzin? Dan mag dat woord in de tweede hoofdzin weg.

Voor jou wil ik graag lekker koken en ~~voor jou~~ doe ik mijn mooiste kleren aan.

Voor jou wil ik graag lekker koken en doe ik mijn mooiste kleren aan.

8

De vraagzin

1 Tegenwoordig roken er veel minder mensen dan een paar jaar geleden.
2 Ik vind Amsterdam de mooiste stad van de wereld.

3 Ben je naar de kapper geweest?
4 Wie is die man daar?
5 Waarom ga je morgen niet met ons mee?
6 Wanneer komt Abdelhafid thuis?

Er is een verschil tussen zin 1 en 2 en de zinnen 3 t/m 6.
In zin 1 en 2 wordt een mededeling gedaan; men geeft informatie.
De zinnen 3 t/m 6 zijn voorbeelden van vragen.

Er zijn twee manieren om een vraagzin te maken.

De vraagzin: persoonsvorm op de eerste plaats

7 Begrijp jij nou iets van die grammatica?
Nou nee, ik begrijp er maar weinig van.

8 Beweegt hij wel voldoende?
Ja zeker, hij doet drie keer per week aan sport.

9 Ben jij het met me eens?
Ja hoor, ik ben het helemaal met je eens.

Je kunt een vraagzin maken door de persoonsvorm op de eerste plaats te zetten. Het antwoord op dit soort vragen is altijd 'ja' of 'nee'. Soms ontbreekt 'ja' of 'nee' maar dan kun je het er wel bij denken.

De vraagzin met een vraagwoord

10 **Wie** is die docent?	– Dat is prof. Karels.
11 **Wat** eet je het liefst?	– Nou, ik ben gek op patat.
12 **Welk** boek heb je gekocht?	– O, dat boek van H. Mulisch.
13 **Welke** fiets is van jou?	– Die gele.
14 **Hoe** ben je hier gekomen?	– Met de fiets natuurlijk!
15 **Hoe laat** ga je naar huis?	– Ik weet het nog niet, maar niet te laat.
16 **Waar** woon je?	– In Alkmaar.
17 **Waarom** is er altijd wel ergens oorlog?	– Dat weet waarschijnlijk niemand.
18 **Wanneer** zijn er weer verkiezingen?	– Over twee jaar.
19 **Met wie** ga je naar de film?	– Met Thomas.
20 **Waarop** wacht je?	– Op het journaal.

In zin 10 t/m 20 beginnen de vraagzinnen steeds met een vraagwoord. Het antwoord op dit soort vragen is niet 'ja' of 'nee'. Zo vraag je met 'wie' naar een persoon, met 'waarom' vraag je naar een reden, enz.

21 ⟶ kijken naar
Naar wie zit je toch steeds te kijken?
Naar die fantastische man daar.

22 ⟶ bang zijn voor
Voor wie is Tim bang?
Voor die vreselijke docent.

23 ⟶ het eens zijn met
Met wie ben je het eens?
Met Sarah.

24 ⟶ kijken naar
Waarnaar zit je te kijken?
Waar kijk je **naar**?
Naar dat huis dat daar te koop staat.

25 ⟶ bang zijn voor
Waarvoor is Eric bang?
Waar is Eric bang **voor**?
Voor muizen.

26 ⟶ het eens zijn met
Waarmee ben je het eens?
Waar ben je het **mee** eens?
Met het idee dat mannen en vrouwen een gelijke
behandeling moeten hebben.

Als je een werkwoord gebruikt, waar een prepositie bij hoort:
– gebruik je **prepositie** + **wie** als je een vraag over een **persoon**
stelt.
– gebruik je **waar** + **prepositie** als je een vraag over een **ding** stelt.
Waar en de **prepositie** staan heel vaak niet bij elkaar.

De regels van hoofdstuk 8 zijn:

26	Je kunt een vraagzin maken door de **persoonsvorm vooraan** te zetten.

Begrijp jij nou iets van die grammatica?

27a Je kunt ook een vraagzin maken door een vraagwoord op de eerste plaats te zetten: **wie**, **wat**, **hoe**, **waar**, **waarom**, **wanneer**, **welk**.

Wie is die docent?
Wat eet je het liefst?

27b Als je een werkwoord gebruikt waar een prepositie bij hoort:
– gebruik je **prepositie** + **wie** als je een vraag over een persoon stelt.
– gebruik je **waar** + **prepositie** als je een vraag over een ding stelt.

Voor wie is Tim bang?
Waar kijk je **naar**?

9

Bijzinnen en conjuncties

> ➤ **A1**

In hoofdstuk 7 is besproken hoe twee hoofdzinnen met elkaar verbonden kunnen worden. In dit hoofdstuk wordt uitgelegd hoe een hoofdzin met een bijzin verbonden wordt.

28 Hoofdzinnen en bijzinnen

	zin	
hoofdzin	conjunctie	bijzin
1 Sarah kijkt televisie	terwijl	Tim het eten kookt .
2 Gisteren bleef Tim thuis	omdat	hij ziek was .
3 Je moet veel geld hebben	als	je een huis wil kopen .
4 Hij geniet van zijn leven	sinds	hij met pensioen is .
5 Eric begon hard te lachen	toen	Lies een mop vertelde .

- Conjuncties zoals 'toen', 'terwijl' en 'omdat' verbinden een hoofdzin en een **bijzin**.

- Een bijzin geeft extra informatie bij een hoofdzin, bijvoorbeeld de reden waarom iets gebeurt, of de tijd of de voorwaarde (zie paragraaf 29). Een bijzin is een deel van de zin, met een subject en een persoonsvorm.

– De volgorde van de woorden in de **hoofdzin** blijft hetzelfde: de persoonsvorm staat op de tweede plaats, het subject staat direct voor of na de persoonsvorm en de andere werkwoorden staan achteraan. De volgorde van de woorden in de **bijzin** is als volgt:
– alle werkwoorden staan achteraan
– het subject staat direct na de conjunctie

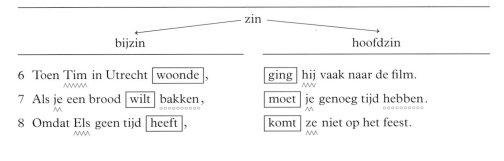

bijzin	hoofdzin
6 Toen Tim in Utrecht woonde ,	ging hij vaak naar de film.
7 Als je een brood wilt bakken,	moet je genoeg tijd hebben.
8 Omdat Els geen tijd heeft ,	komt ze niet op het feest.

Een bijzin kan achter de hoofdzin staan (zin 1 t/m 5) of de zin kan beginnen met een bijzin (zin 6 t/m 8).
Als de zin begint met de bijzin, komt de persoonsvorm van de hoofdzin **direct na** de bijzin. De bijzin vormt hier in feite een woordgroep die op de eerste plaats staat en de persoonsvorm van de hoofdzin staat dus gewoon op de tweede plaats. Vergelijk bijvoorbeeld zin 9 en 10.

	1	**2**	**3**
9	*Wanneer ze niet hoeft te werken,*	gaat	ze zwemmen.
10	*Op zaterdagochtend*	gaat	ze zwemmen.

Let op:
een bijzin is een deel van de zin en staat dus nooit alleen.
Een bijzin hoort **altijd** bij een hoofdzin.

goed: Sarah kijkt televisie terwijl Tim het eten kookt.
fout: Sarah kijkt televisie. Terwijl Tim het eten kookt.

Conjuncties

De bijzin geeft extra informatie bij de hoofdzin. Je kunt kiezen uit conjuncties met verschillende betekenissen.

Reden, oorzaak:

omdat

Gisteren $\boxed{\text{bleef}}$ Tim thuis omdat hij ziek $\boxed{\text{was}}$.

doordat

Doordat de docent pas om tien uur $\boxed{\text{kwam}}$, $\boxed{\text{begon}}$ de les later.

Tijd:

toen (vroeger)

Toen Eric nog in Utrecht $\boxed{\text{woonde}}$, $\boxed{\text{ging}}$ hij elke dag met de auto naar zijn werk.

als (presens en toekomst)

Als de les $\boxed{\text{is}}$ afgelopen, $\boxed{\text{gaan}}$ we naar huis.

Als ik vanavond $\boxed{\text{thuiskom}}$, $\boxed{\text{ga}}$ ik eerst lekker douchen.

wanneer (presens en toekomst)

Wanneer de les $\boxed{\text{is}}$ afgelopen, $\boxed{\text{gaan}}$ we naar huis.

terwijl (ongeveer gelijktijdig)

Sarah $\boxed{\text{kijkt}}$ televisie terwijl Tim het eten $\boxed{\text{kookt}}$.

voordat (volgorde van gebeurtenissen)

Ik $\boxed{\text{ga}}$ meel kopen voordat ik brood $\boxed{\text{ga}}$ bakken.

nadat (volgorde van gebeurtenissen)

Hij $\boxed{\text{beantwoordt}}$ de vragen nadat hij de tekst $\boxed{\text{heeft}}$ gelezen.

totdat (tot een bepaalde tijd)

Ik $\boxed{\text{wacht}}$ hier totdat jij me $\boxed{\text{komt}}$ halen.

sinds (vanaf een bepaalde tijd)

Sinds hij met pensioen $\boxed{\text{is}}$, $\boxed{\text{geniet}}$ hij van zijn leven.

zodra (meteen als)

Zodra ik $\boxed{\text{thuiskom}}$, $\boxed{\text{bel}}$ ik Eric op.

Voorwaarde:

als

Je [moet] veel geld hebben als je een huis [wil] kopen.

wanneer

Wanneer je geen rijbewijs [hebt], [mag] je niet autorijden.

Niet-logische relatie:

hoewel

Hoewel Tim ziek [is], [gaat] hij toch naar zijn werk.

terwijl

Lies [zit] de hele avond in een café terwijl ze morgen een moeilijk examen [heeft].

Gevolg:

zodat

Sarah [heeft] twee maanden gewerkt zodat ze daarna genoeg geld voor een vakantie [had].

30

'Dat' en 'of'

11 Sarah [zegt] dat Tim naar het feest [komt].

12 Ik [denk] dat zij ziek [is].

13 Ik [geloof] dat Tietjerksteradeel in Friesland [ligt].

14 In zijn brief [schreef] Abdelhafid dat hij veel heimwee [heeft].

15 Hij [hoopt] dat zijn ouders deze zomer op bezoek [komen].

16 Thomas [vraagt] of Tim naar het feest [komt].

17 Els [weet] niet of Thomas een auto [heeft].

Er zijn twee conjuncties die zelf geen betekenis hebben: 'dat' en 'of'. Ze komen vaak voor bij werkwoorden als 'denken', 'weten' 'zeggen' en 'vragen'.
Als iets zeker of bijna zeker is, gebruik je 'dat' (zin 11 t/m 15). Als iets onzeker is, gebruik je 'of' (zin 16 en 17).

Dus:

denken			vragen		
zeggen	}	dat	niet weten	}	of
geloven			twijfelen		
weten					

1 Toen ze Eric gisteren [zag] lopen met die rare hoed, [begon] ze hard te lachen.

2 Ik [hoef] dat boek niet te kopen omdat Sarah het al gekocht [heeft] voor mij.

3 Sinds Lies [is] begonnen met haar studie, [heeft] ze heel weinig tijd.

4 Tim [heeft] de wedstrijd gewonnen omdat hij veel sneller [was] dan Thomas.

In paragraaf 28 staat de regel: in de bijzin staan alle werkwoorden achteraan.
Maar achter de werkwoorden mogen nog wel staan:
– een woordgroep die met een prepositie begint (zin 1 t/m 3)
– een vergelijking met 'dan' of 'als' (zin 4).

Deze regel is hetzelfde als de regel voor de plaats van de infinitief en het deelwoord in de hoofdzin (zie hoofdstuk 7).

De regel van hoofdstuk 9 is:

28 In de bijzin:
a staan **alle werkwoorden** achteraan;
b staat het subject **direct achter** de conjunctie.

Een bijzin hoort **altijd** bij een hoofdzin.

Je [moet] veel geld hebben als je een huis [wil] kopen.
Toen Tim in Utrecht [woonde], [ging] hij vaak naar de film.

10

De infinitief

In hoofdstuk 2 hebben we gezien dat er op twee manieren meer werkwoorden in de zin kunnen staan:
- persoonsvorm van hebben/zijn + deelwoord
- andere persoonsvorm + infinitief/infinitieven

1 Ik ⬚heb⬚ vandaag hard gewerkt.

2 Eric ⬚gaat⬚ in september economie studeren.

31

Wel of geen 'te' voor de infinitief

3 Els ⬚begon⬚ plotseling te lachen.

4 Eric ⬚zit⬚ in de kantine met zijn vrienden te praten.

5 Sarah ⬚kan⬚ vanavond niet komen.

6 Gisteren ⬚wilde⬚ ik in een restaurant gaan eten.

Soms komt er 'te' voor de infinitief (zin 3 en 4), soms komt er geen 'te' voor de infinitief (zin 5 en 6). Dat hangt af van het werkwoord dat ervoor staat.

Geen 'te':

7 Tim **wil** een huis kopen.   willen

8 Jullie **kunnen** in januari met de cursus beginnen.   kunnen

9 Als je mee wil, **moet** je om 9 uur bij mij zijn.   moeten

10 Ik **zal** morgen voor je koken.   zullen

11 In dit gebouw **mag** je niet roken.   mogen

12 Thomas wil Sarah zijn huiswerk **laten** maken. laten

13 Ik **ga** nu even boodschappen doen. gaan

14 Wil je morgen **komen** eten? komen

15 Thomas zal vanavond bij ons **blijven** slapen. blijven

16 Ik **hoorde** hen over Eric praten. horen

17 Gisteren **zagen** we Sarah over de Herengracht lopen. zien

Deze elf werkwoorden kun je combineren met een infinitief.
Dan gebruik je geen 'te' voor die infinitief.

Wel 'te':
Na alle andere werkwoorden komt er wel 'te' voor de infinitief.
'Te' heeft hier geen betekenis; het is een grammaticaal verschijnsel.

18 Je **hoeft** morgen niet **te** komen.

19 Zijn verhaal **bleek** niet waar **te** zijn.

20 Eric **vergeet** vaak zijn huiswerk **te** maken.

21 Thomas **ligt** 's avonds in bed vaak **te** lezen.

22 Lies **beloofde** zoiets nooit meer **te** doen.

23 Nu kunnen jullie deze oefening **beginnen te** maken.

Let op als er meer dan twee werkwoorden in de zin staan:

22 Thomas wil Sarah zijn huiswerk laten maken.

na 'wil':   infinitief zonder 'te' ⟶ laten;
na 'laten':   infinitief zonder 'te' ⟶ maken.

23 Nu kunnen jullie deze oefening beginnen te maken.

na 'kunnen':   infinitief zonder 'te' ⟶ beginnen;
na 'beginnen': infinitief met 'te' ⟶ **te** maken.

Om + te + infinitief

24 Eric is naar de stad gegaan **om** boodschappen **te** doen.

25 Hij volgt een cursus **om** beter Engels **te** leren.

26 Lies kwam bij mij **om** het goede nieuws **te** vertellen.

De constructie '**om...** + **te** + **infinitief**' heeft vaak wel een betekenis:
die constructie kan een doel aangeven. Kijk naar zin 24.
Waarom is Eric naar de stad gegaan? Om boodschappen te doen.
'Om... + te + infinitief' staat achteraan in de zin.

Adjectieven kunnen ook met 'om... + te + infinitief'
gecombineerd worden.

27 Als je jarig bent, is het **leuk om** een feestje **te geven**.
28 Het is heel **vervelend om** grammatica-oefeningen **te maken**.
29 Als het mooi weer is, vind ik het **fijn om** naar het strand **te gaan**.

De regels van hoofdstuk 10 zijn:

31

willen – kunnen – moeten – zullen – mogen – laten – gaan – komen –
blijven – horen – zien:

Volgende werkwoord: **infinitief zonder 'te'**.

Na andere werkwoorden: **infinitief met 'te'**.

Jullie **kunnen** in september met de cursus beginnen.

Wil je morgen **komen** eten?

Eric **probeert** goed Nederlands **te** spreken.

Je **hoeft** morgen niet **te** komen.

<table>
<tr><td>**32a**</td><td>Een doel aangeven: **om... + te + infinitief**</td></tr>
</table>

Hij volgt een cursus **om** beter Engels **te leren.**

<table>
<tr><td>**32b**</td><td>Je kunt een adjectief combineren met:
om... + te + infinitief</td></tr>
</table>

Als je jarig bent, is het **leuk om** een feestje **te geven**.

11

Het reflexieve werkwoord en het scheidbare werkwoord

Het reflexieve werkwoord

De **reflexieve werkwoorden** zijn werkwoorden waar een **reflexief pronomen** bij hoort.

Ik vergis	**me**
Jij vergist	**je**
U vergist	**zich**
Hij/Zij vergist	**zich**
Wij vergissen	**ons**
Jullie vergissen	**je**
Zij vergissen	**zich**

Bij nieuwe werkwoorden moet je kijken of het een reflexief werkwoord is of niet. Je leert dus niet: 'vergissen', maar 'zich vergissen'.
Kijk naar het subject om de juiste vorm van het reflexief pronomen te kiezen.

➤ A1

Het reflexief pronomen komt altijd na de persoonsvorm òf na het subject.

1 Thomas ⌐voelt⌐ **zich** hier thuis.

2 Thomas wil in Nederland blijven omdat hij **zich** hier thuisvoelt.

3 Gelukkig voelt Thomas **zich** hier thuis.

Het scheidbare werkwoord

Scheidbare werkwoorden zijn werkwoorden die uit twee delen bestaan. Je moet die twee delen soms scheiden.

4	opbellen	Ik **bel** je morgen **op**.
5	plaatsvinden	De les **vindt** in zaal 6 **plaats**.
6	uitnodigen	Sarah **nodigt** Tim voor haar feest **uit**.
7	toenemen	De bevolking **neemt toe**.
8	aankomen	De trein **komt** te laat **aan**.
9	voorkomen	**Komt** deze ziekte in Nederland nog **voor**?

Het eerste deel lijkt vaak op een prepositie, zoals **op** in **op**bellen en **uit** in **uit**nodigen. We noemen het eerste deel het **prefix**.

➤ A3

10 Tim **belt** Sarah **op**.
11 Tim **belde** Sarah bijna nooit **op**.
12 Tim heeft Sarah net **op**ge**beld**.
13 Tim weigert Sarah nog een keer **op** te **bellen**.

Een scheidbaar werkwoord scheid je:
– als het de persoonsvorm van de hoofdzin is (zin 4 t/m 11),
– als het een deelwoord is (zin 12),
– als het een infinitief met 'te' is (zin 13).
In de hoofdzin (zin 4 t/m 11) staat het prefix achteraan in de zin.

In sommige gevallen scheid je scheidbare werkwoorden niet.

14 Tim moet Sarah nu eens **opbellen**.
15 Toen Tim Sarah **opbelde**, zei ze dat ze geen zin had om met hem te praten.

Een scheidbaar werkwoord scheid je niet:
– als het een infinitief zonder 'te' is,
– als het de persoonsvorm in de bijzin is.

Er zijn werkwoorden die op scheidbare werkwoorden lijken, maar het niet zijn, bijvoorbeeld 'overtuigen', 'aanvaarden', 'voorkomen', 'overlijden', 'voorspellen'.

16 Sarah **overtuigt** Tim van haar gelijk.
17 De Tweede Kamer **aanvaardt** het wetsvoorstel.
18 Ik **voorkwam** dat Tim van de trap viel.

Als het eerste deel van een werkwoord op een prepositie lijkt (bijvoorbeeld over, aan, voor) dan betekent dat niet automatisch dat het een scheidbaar werkwoord is.

19 Thomas **nodigt** Sarah voor zijn feest **uit**.
20 Thomas **nodigt** Sarah **uit** voor zijn feest.
21 De docent **stemt** het programma op buitenlandse studenten **af**.
22 De docent **stemt** het programma **af** op buitenlandse studenten.
23 Tim **denkt** beter **na** dan Eric.

Het prefix staat op de laatste plaats in de zin (zin 19 en 21). Maar:
– achter het prefix kan één woordgroep met een prepositie staan (zin 20 en 22),
– een vergelijking met 'dan' of 'als' moet achter het prefix staan (zin 23).

Hieronder volgt een overzicht van de plaats van de infinitief, het deelwoord en het prefix in de zin.

Tim wil dit jaar met zijn studie	beginnen.	
Tim wil dit jaar	beginnen	met zijn studie.
Els heeft Economie in Amsterdam	gestudeerd.	
Els heeft Economie	gestudeerd	in Amsterdam.
Eric denkt diep over dat probleem	na.	
Eric denkt diep	na	over dat probleem.
Els kan harder dan Thomas	fietsen.	
Els kan harder	fietsen	dan Thomas.
Ik beloof dat ik je voor die afspraak	zal opbellen.	
Ik beloof dat ik je	zal opbellen	voor die afspraak.
Els zegt dat Tim in het weekend laat	opstaat.	
Els zegt dat Tim laat	opstaat	in het weekend.
Ik bel Sarah vaker	op	dan Lies.
Els wil Tim	opbellen	om hem uit te nodigen.
Els belt Tim	op	om hem uit te nodigen.

Zie voor de plaats van de infinitief en het deelwoord ook hoofdstuk 7 en 9.

De regels van hoofdstuk 11 zijn:

33	Bij **reflexieve werkwoorden** moet er een **reflexief pronomen** gebruikt worden. Kijk naar het subject voor de vorm. Het reflexief pronomen komt altijd na de persoonsvorm òf na het subject.

Thomas voelt **zich** hier thuis.
Herinneren jullie **je** nog wat we gisteren in de les besproken hebben?

34 Een **scheidbaar werkwoord** scheid je:
- als het de persoonsvorm van de hoofdzin is,
- als het een deelwoord is,
- als het een infinitief met 'te' is.

In de hoofdzin staat het prefix achteraan in de zin.

Een scheidbaar werkwoord scheid je **niet**:
- als het een infinitief zonder 'te' is,
- als het de persoonsvorm in de bijzin is.

Ik **bel** je morgen **op**.
Thomas heeft me voor zijn feest **uitgenodigd**.
De directeur **belde** me **op** om me die baan **aan** te **bieden**.

De werkloosheid zal weer **toenemen**.
Als je de tv **aanzet**, moet je de radio **uitdoen**.

12

Andere soorten bijzinnen

We hebben tot nu toe één soort bijzin behandeld. Deze bijzin begint met een conjunctie (zie hoofdstuk 9).

Ik ga met de bus *omdat mijn fiets gestolen is.*
Eric zal je terugbellen *zodra hij thuis is.*

Bijzinnen met een conjunctie geven extra informatie **bij een hoofdzin.**
Er zijn nog andere soorten bijzinnen: de relatieve bijzin en de vraagzin als bijzin.

35

Relatieve bijzinnen

Relatieve bijzinnen geven extra informatie **bij een woord.**

1 De fiets *die daar staat,* is van Thomas.
2 Het boek *dat ik lees,* komt uit de bibliotheek.
3 Kinderen *die jonger dan drie jaar zijn,* mogen gratis mee in de bus.
4 Heb je dat Franse meisje nog gesproken *dat vorige week op Erics feestje was?*
5 Ken jij iemand *die met computers kan omgaan?*
6 Vanavond komt er een film op televisie *die ik vorige week in de bioscoop gezien heb.*

De relatieve bijzin in zin 1 geeft bijvoorbeeld extra informatie bij 'de fiets' en de relatieve bijzin in zin 2 bij 'het boek'.

Die gebruik je bij de-woorden (zin 1, 3, 5 en 6). *Dat* gebruik je bij het-woorden (zin 2 en 4).

Binnen de relatieve bijzin kunnen 'die' en 'dat' de functie van subject (zin 1, 3, 4 en 5) of de functie van object (zin 2 en 6) hebben.

Woordvolgorde

– De relatieve bijzin staat dichtbij het woord waar de extra informatie over wordt gegeven.

– Als de relatieve bijzin midden in de hoofdzin staat, loopt de hoofdzin gewoon door.

Het boek *dat ik lees*, komt uit de bibliotheek.
Dit dikke boek   komt uit de bibliotheek.

De relatieve bijzin is in feite een deel van een woordgroep net als een adjectief.

– De relatieve bijzin is een **bijzin**; de werkwoorden staan dus helemaal achteraan.

36

Relatieve bijzin met prepositie

Als bij het werkwoord in de relatieve bijzin een prepositie hoort, gebruik je geen 'die' of 'dat', maar:

– waar	+	prepositie	(bij **dingen**)
– prepositie	+	wie	(bij **mensen**).

7 De film **waarover** Sarah praat, heb ik ook gezien.
8 De film **waar** Sarah **over** praat, heb ik ook gezien.
    ———→ praten **over** de film

9 De trein **waarin** we zitten, stopt niet in Haarlem.
10 De trein **waar** we **in** zitten, stopt niet in Haarlem.
    ———→ zitten **in** de trein

11 Het meisje **over wie** hij praat, zit bij mij in de cursus.
    ———→ praten **over** het meisje

12 De familie **bij wie** hij woont, ken ik heel goed.
    ———→ wonen **bij** de familie

Veel Nederlanders gebruiken in de spreektaal ook bij personen vaak waar + prepositie.

De man **waarmee** ze getrouwd is, komt uit Ierland.

Als een relatieve bijzin bij een plaats hoort, wordt de prepositie vaak weggelaten.

De stad **waar** Thomas woont, was vroeger een belangrijke handelsstad.

De vraagzin als bijzin

Van een vraagzin kan ook een bijzin worden gemaakt. De vraagzin hoort dan bij een hoofdzin.

13 Kun je zeggen **hoe** laat je vanavond komt?
14 Ik weet niet **waarom** de treinen vandaag niet rijden.
15 Weet jij **waar** het Centraal Station is?
16 Ik heb geen idee **wie** mijn boek gepakt heeft.

Als een vraagzin wordt gebruikt als bijzin, gelden de regels voor de bijzin: alle werkwoorden staan achteraan in de zin.
Bij dit soort bijzinnen gebruik je **geen** conjunctie; het vraagwoord krijgt de functie van een conjunctie.

De regels van hoofdstuk 12 zijn:

35	De relatieve bijzin:	– geeft extra informatie bij een woord en staat daar dichtbij; – kan midden in de hoofdzin staan; – heeft de werkwoorden achteraan.
	Je gebruikt:	– *die* bij een de-woord; – *dat* bij een het-woord.

De fiets **die daar staat**, is van Thomas.
Heb je dat Franse meisje nog gesproken **dat vorige week op Erics feestje was**?

36	Wanneer het werkwoord in de relatieve bijzin een prepositie bij zich heeft, gebruik je: waar + prepositie ⟶ bij dingen prepositie + wie ⟶ bij mensen

De film **waarover** Sarah praat, heb ik ook gezien.
De familie **bij wie** hij woont, ken ik heel goed.

37	Als een vraagzin niet apart staat maar een déél is van de zin, is het een bijzin.

Ik weet niet **hoe** laat ik vanavond kom.

13

Het passief

In hoofdstuk 1 hebben we gezien dat in elke zin een subject staat:
de persoon die iets doet of het ding dat iets doet.

1 Eric lacht.
2 De stoel valt.

De vorm van het passief

Kijk naar de volgende zinnen:

3 Lies wordt volgende week geopereerd.
4 Feesten worden vaak op zaterdag georganiseerd.
5 Vroeger werden veel producten per boot getransporteerd.
6 Eric is vorig jaar drie keer geopereerd.
7 Bij dat bedrijf zijn vorige maand 300 mensen ontslagen.

In deze zinnen doet het subject niets.
We noemen die zinnen: **passieve zinnen**.
Je gebruikt in dat geval:
– worden + deelwoord voor het presens (zin 3 en 4)
– werden + deelwoord voor het imperfectum (zin 5)
– zijn + deelwoord voor het perfectum (zin 6 en 7).

Vergelijk:

actieve zin   **passieve zin**

actieve zin	passieve zin
Ik schrijf de brief.	De brief wordt geschreven.
Ik schreef de brief.	De brief werd geschreven.
Ik heb de brief geschreven.	De brief is geschreven.

Als in een passieve zin staat wie iets doet, gebruik je een woordgroep met de prepositie **door**.

8 De keuken │wordt│ altijd **door Tim** schoongemaakt.

9 Morgen │wordt│ de nieuwe bibliotheek **door de koningin** geopend.

---

10 Indira Gandhi │is│ een paar jaar geleden vermoord.

11 Als je │bent│ geopereerd, mag je meestal een paar weken niet

werken.

12 (In een winkel:) │Wordt│ u al geholpen?

13 De leden van de Tweede Kamer │worden│ direct gekozen.

In sommige zinnen is het niet belangrijk wie de handeling doet of gedaan heeft (zin 10 t/m 13).

14 Vrouwen en mannen │worden│ niet altijd gelijk behandeld.

15 Mijn fiets │is│ gestolen!

16 Bij dat bedrijf │zullen│ honderd werknemers worden ontslagen.

17 Deze constructie │wordt│ de passief-constructie genoemd.

18 De meeste vliegtuigen │moeten│ na ongeveer twintig jaar worden

vervangen.

In andere zinnen is bovendien niet bekend of niet precies duidelijk wie de actie uitvoert (zin 14 t/m 18).

19 Er │wordt│ gebeld! Dat zullen Sarah en Lies zijn.

20 Er │wordt│ vaak gezegd dat Nederlanders tolerant zijn.

21 Er │mag│ in dit gebouw niet worden gerookt.

Er zijn ook zinnen waarin het subject niet genoemd wordt.
In plaats daarvan gebruik je **er** + **passief** (zin 19 t/m 21).

De regels van hoofdstuk 13 zijn:

38a Je gebruikt het passief: als het subject de actie van het werkwoord niet uitvoert.

Vorm van het passief:
worden + **deelwoord** (presens)
werden + **deelwoord** (imperfectum)
zijn   + **deelwoord** (perfectum)

Lies │wordt│ volgende week geopereerd.

Vroeger │werden│ veel producten per boot getransporteerd.

Dat boek │is│ speciaal voor buitenlandse studenten geschreven.

38b Je gebruikt het passief:
– als het niet belangrijk is wie iets doet;
– als niet bekend of niet precies duidelijk is wie iets doet.
Als er geen subject is: **er** + **passief**.

Mijn fiets │is│ gestolen!

Er │wordt│ gebeld! Dat zullen Sarah en Lies zijn.

14

Het gebruik van ER

In dit hoofdstuk wordt gesproken over het gebruik van 'er'.
Het woordje 'er' heeft twee functies: een verwijzende functie en
een grammaticale functie.

Het verwijzende 'er'

Thomas zoekt *zijn* fiets. *Hij* ziet *hem* nergens.
Tim en Sarah komen met de auto. *Zij* parkeren *hem* vlak voor het
restaurant.
Kun je een kaartje in de bus kopen? Weet jij *dat*?

Pronomina als zijn, hij, hem, zij, dat, enzovoort noemen we ook wel
verwijswoorden: woorden waarmee je naar iets of iemand
verwijst. (Zie hoofdstuk vijf voor een overzicht.)
Het woordje '**er**' kan die functie ook hebben. Met '**er**' kun je
verwijzen naar plaatsen en naar dingen of zaken.

Verwijzen naar plaats

1 Woon je al lang in Amsterdam?
  Ja, heel lang. Ik ben *er* namelijk geboren.
2 Sarah studeert vaak in de bibliotheek. *Daar* zit ze tegenwoordig
  bijna iedere dag. Ze woont *er* bijna.
3 Wanneer was jij voor de laatste keer in Parijs?
  Eens even denken... Ik was *er* voor het laatst in '82 of was het '83?
4 Zie ik het goed? Zitten Eric en Tim in dat café?
  Dat zou wel kunnen want ze komen *er* zeker twee keer per week.
5 Hoe lang woon jij al in deze buurt?
  O, ik woon *hier* zeker al vijf jaar.

Met het woordje 'er' kun je verwijzen naar een plaats.
In zin 1 verwijst 'er' naar Amsterdam. In zin 2 naar de bibliotheek, in zin 3 naar Parijs en in zin 4 naar dat café.
In plaats van 'er' kun je ook 'hier' of 'daar' gebruiken (zin 2 en 5).
'Hier' en 'daar' hebben meer nadruk dan 'er'. 'Hier' verwijst naar iets wat dichtbij is, terwijl 'daar' verwijst naar iets wat verder weg is.

Verwijzen: er + prepositie

6 Wanneer ik een nieuwe cd heb gekocht, luister ik *er* de hele avond *naar*.
7 Sarah maakt graag boswandelingen. *Daar* houdt Eric niet *van*, dus ze moet dat helaas altijd alleen doen.
8 Waar zouden mijn handschoenen toch kunnen zijn?
   Kijk eens goed. Volgens mij zit je *erop*.
9 Wat vond je van die film?
   Ik zit *er* nog *over* na te denken.
10 *Hier* begrijp ik niets *van*: ik leg mijn boek op tafel, haal even koffie en mijn boek is weg.

Als je wilt verwijzen naar een woord waar een prepositie bij hoort, gebruik je **er + prepositie**. Dat kan alleen bij dingen of zaken.

Ik luister *naar de cd*. ⟶ Ik luister *ernaar*.
Je zit *op je handschoenen*. ⟶ Je zit *erop*.
Ik zit nog *over de film* na te denken. ⟶ Ik zit *er* nog *over* na te denken.

Wanneer je meer nadruk wilt geven, kun je 'hier' of 'daar' gebruiken (zin 7 en 10).

Verwijzen: er + telwoord

11 Heb jij nog sigaretten? Ja, ik heb *er* nog *drie*.
12 Thomas spaart cd's. Hij heeft *er* zeker *500*.
13 Eric heeft één fiets terwijl Tim *er drie* heeft.

Met **er + telwoord** verwijs je naar een woord dat je eerder genoemd hebt.
Ik heb *er* nog *drie*. ⟶ drie sigaretten
Hij heeft *er* zeker *500*. ⟶ 500 cd's

Het grammaticale 'er'

Er in combinatie met een onbepaald subject

14 *Er* is vanavond *een mooie film* op de televisie.
15 Is *er* nog *melk*?
16 *Er* zitten vandaag *weinig studenten* in de kantine.
17 *Er* staat *een politieauto* voor de deur.

Wanneer het subject van de zin onbepaald is, gebruiken we 'er'.

Er in een passieve zin zonder subject

18 *Er* wordt tegenwoordig minder gerookt.
19 Werd *er* nog gedanst?
20 *Wordt* er nog gewerkt?

Wanneer er in een passieve zin geen subject aanwezig is, gebruiken
we 'er'.

De regels van hoofdstuk 14 zijn:

39	Verwijzend 'er':
	a plaats
	b combinatie met prepositie
	c combinatie met telwoord.

Woon je al lang in **Amsterdam**?	Ja, heel lang. Ik ben **er** namelijk geboren.
Wat vond je van **die film**?	Ik zit **er** nog **over** na te denken.
Heb jij nog **sigaretten**?	Ja, ik heb **er** nog **drie**.

40	Grammaticaal 'er':
	a onbepaald subject in de zin
	b geen subject in de passieve zin.

Is **er** nog koffie?
Wordt **er** nog gewerkt?

Bijlage 1 De spelling

De bijlage gaat over de spelling.
Spelling heeft veel te maken met uitspraak.
Als je weet hoe je een woord schrijft, weet je meestal ook hoe je het
moet uitspreken. En als je weet hoe je een woord uitspreekt, weet je
meestal ook hoe je het moet schrijven.

Klinkers en medeklinkers

Het Nederlandse alfabet bestaat uit 26 letters:
a b c d e f g h i j k l m n o p q r s t u v w x y z

De a, e, i, o, u en y zijn **klinkers**.
De andere letters (b, c, d, f, enz.) zijn **medeklinkers**.
Met de klinkers kun je verschillende klanken maken:

lange klanken:

[aa]	de t**aa**l
[ee]	de w**ee**k
[ie]	L**ie**s
[oo]	r**oo**d
[uu]	d**uu**r

korte klanken:

[a]	de m**a**n
[e]	ik z**e**g
[i]	hij z**i**t
[o]	d**o**m
[u]	dr**u**k

andere klanken:

[oe]	het b**oe**k
[ei]	r**ei**zen
	begr**ij**pen
[au]	g**au**w
	k**ou**d
[eu]	l**eu**k
[ui]	gebr**ui**ken

Voor de spelling is vooral het verschil tussen lange klanken en korte
klanken belangrijk.

Lettergrepen

Woorden bestaan uit **lettergrepen**: stukjes van woorden die bij elkaar horen:

Ne – der – land
ma – ken
be – lang – rijk
uit – spraak

Lettergrepen kunnen **open** of **gesloten** zijn:

Open lettergrepen eindigen op een klinker:

gro – te   hui – zen
ma – ken   du – re
zo – nen   we – ken
kie – zen

Gesloten lettergrepen eindigen op een medeklinker:

maan – den   woor – den
dik – ke   zeg – gen
lief – de   kos – ten
rook – te   dur – ven

A

Korte en lange klanken

De spelling van de klank:

Gesloten lettergreep, 1 klinker: de klank is kort.

man   dom
mannen domme

Gesloten lettergreep, 2 klinkers: de klank is lang.

taal   boom
maandag rooster

Open lettergreep, 1 klinker: de klank is lang.

praten	bomen
rare	rode

Let op: de [ie]-klank wordt altijd als 'ie' geschreven. De spelling verandert niet:

lief   **nie**mand

Let op: een lettergreep met een korte klank moet altijd gesloten zijn. Er staat dan vaak een **dubbele medeklinker**.

man	ma**nn**en
dom	do**mm**e
ik zit	zi**tt**en
gek	ge**kk**e

B

De f/v en de s/z

De v en de z staan nooit aan het einde van een woord of van een lettergreep. Je hoort en schrijft dan altijd een f of een s.
De f en de s staan bijna nooit tussen klinkers. Je hoort en schrijft dan bijna altijd een v of een z.

lie**f**	lie**v**e	boo**s**	bo**z**e
lie**f**de	lie**v**er	huiskamer	hui**z**en
ik blij**f**	blij**v**en	ik kie**s**	kie**z**en

Al deze regels zijn belangrijk bij de substantieven, de adjectieven en de werkwoorden.

Substantieven (zie hoofdstuk 3)

de t**aa**l – de t**a**len	de man – de ma**nn**en
de w**ee**k – de w**e**ken	de les – de le**ss**en
de b**oo**m – de b**o**men	de zon – de zo**nn**en
het **uu**r – de **u**ren	de rug – de ru**gg**en

de brie**f** – de brie**v**en
het hui**s** – de hui**z**en

Adjectieven (zie hoofdstuk 4)

raar	– rare		nat	– natte
geel	– gele		gek	– gekker
ziek	– zieke		dik	– dikke
groot	– groter		dom	– domme
duur	– dure		druk	– drukker

lief	– lieve
grijs	– grijze

Werkwoorden (zie hoofdstuk 2)

praten	– ik praat		pakken	– ik pak
nemen	– ik neem		zeggen	– ik zeg
kiezen	– ik kies		zitten	– ik zit
kopen	– ik koop		stoppen	– ik stop
huren	– ik huur		lukken	– het lukt

blijven	– ze blijft
leven	– ik leef
lezen	– ik lees
reizen	– ze reist

In de verleden tijd zijn de spellingregels anders. Bij de verleden tijd van de regelmatige werkwoorden schrijf je altijd: ik-vorm + de(n)/ te(n).
Dus: ik praatte (niet: ik 'prate')
       ik wachtte (niet: ik 'wachte')

De regels van de verleden tijd 'winnen' dus van de spellingregels.

De regels van de bijlage zijn:

A   Korte klank: 1 klinker: de man – de mannen
Lange klank: 2 klinkers: de boom
Lange klank: 1 klinker: de bomen

---

de man
de taal
grote
do**mm**e

B   Aan het eind van een woord of lettergreep: f/s
Tussen twee klinkers meestal: v/z

---

ik blij**f**   – blij**v**en
lie**f**   – lie**v**e
ik lee**s**   – le**z**en
grij**s**   – grij**z**e

Bijlage 2 Onregelmatige werkwoorden

infinitief	imperfectum	perfectum
bakken	bakte	heeft gebakken
bederven	bedierf – bedierven	is bedorven
beginnen	begon	is begonnen
begrijpen	begreep	heeft begrepen
besluiten	besloot	heeft besloten
bestaan	bestond	heeft bestaan
bewegen	bewoog	heeft bewogen
bieden	bood	heeft geboden
bijten	beet	heeft gebeten
binden	bond	heeft gebonden
blijken	bleek	is gebleken
blijven	bleef – bleven	is gebleven
breken	brak – braken	heeft gebroken
brengen	bracht	heeft gebracht
buigen	boog	heeft gebogen
denken	dacht	heeft gedacht
doen	deed	heeft gedaan
dragen	droeg	heeft gedragen
drinken	dronk	heeft gedronken
duiken	dook	heeft/is gedoken
dwingen	dwong	heeft gedwongen
eten	at – aten	heeft gegeten
fluiten	floot	heeft gefloten
gaan	ging	is gegaan
gelden	gold	heeft gegolden
genieten	genoot	heeft genoten
geven	gaf – gaven	heeft gegeven
grijpen	greep	heeft gegrepen
hangen	hing	heeft gehangen
hebben	had	heeft gehad
helpen	hielp	heeft geholpen
heten	heette	heeft geheten
houden	hield	heeft gehouden

kiezen	koos – kozen	heeft gekozen
kijkcn	keek	heeft gekeken
klinken	klonk	heeft geklonken
komen	kwam – kwamen	is gekomen
kopen	kocht	heeft gekocht
krijgen	kreeg	heeft gekregen
kunnen	kon – konden	heeft gekund
lachen	lachte	heeft gelachen
laten	liet	heeft gelaten
lezen	las – lazen	heeft gelezen
liegen	loog	heeft gelogen
liggen	lag – lagen	heeft gelegen
lijken	leek	heeft geleken
lopen	liep	heeft / is gelopen
moeten	moest	
mogen	mocht	heeft gemogen
nemen	nam – namen	heeft genomen
ontbijten	ontbeet	heeft ontbeten
ontbreken	ontbrak – ontbraken	heeft ontbroken
ontstaan	ontstond	is ontstaan
opschieten	schoot op	is opgeschoten
optreden	trad op – traden op	heeft opgetreden
rijden	reed	heeft / is gereden
roepen	riep	heeft geroepen
ruiken	rook	heeft geroken
schenken	schonk	heeft geschonken
schieten	schoot	heeft geschoten
schijnen	scheen	heeft geschenen
schrijven	schreef – schreven	heeft geschreven
schrikken	schrok	is geschrokken
schuiven	schoof – schoven	heeft geschoven
slaan	sloeg	heeft geslagen
slapen	sliep	heeft geslapen
sluiten	sloot	heeft gesloten
snijden	sneed	heeft gesneden
spreken	sprak – spraken	heeft gesproken
springen	sprong	heeft / is gesprongen
staan	stond	heeft gestaan
steken	stak – staken	heeft gestoken
stelen	stal – stalen	heeft gestolen
sterven	stierf – stierven	is gestorven
stinken	stonk	heeft gestonken
treffen	trof	heeft getroffen
trekken	trok	heeft getrokken
vallen	viel	is gevallen
vangen	ving	heeft gevangen
vechten	vocht	heeft gevochten

verdwijnen	verdween	is verdwenen
vergeten	vergat – vergaten	heeft / is vergeten
verliezen	verloor	heeft / is verloren
verstaan	verstond	heeft verstaan
vertrekken	vertrok	is vertrokken
vinden	vond	heeft gevonden
vliegen	vloog	heeft / is gevlogen
voorkómen	voorkwam – voorkwamen	heeft voorkomen
vóórkomen	kwam voor – kwamen vóór	is voorgekomen
vragen	vroeg	heeft gevraagd
wassen	waste	heeft gewassen
weten	wist	heeft geweten
wijzen	wees	heeft gewezen
winnen	won	heeft gewonnen
worden	werd	is geworden
zeggen	zei – zeiden	heeft gezegd
zenden	zond	heeft gezonden
zien	zag – zagen	heeft gezien
zijn	was – waren	is geweest
zingen	zong	heeft gezongen
zitten	zat – zaten	heeft gezeten
zoeken	zocht	heeft gezocht
zullen	zou – zouden	
zwemmen	zwom	heeft / is gezwommen
zwijgen	zweeg	heeft gezwegen

Enkele regelmatigheden:

ij – ee – e

(zie: blijken, lijken, kijken, schrijven, wijzen)

i – o – o

(zie: drinken, dwingen, klinken, springen, zingen)

Bijlage 3 Aanwijzingen voor het verbeteren van schrijfopdrachten

1 Elke zin begint met een hoofdletter en eindigt met een punt. ——————————————→ Hoofdstuk **1**
2 In elke zin moet een subject staan. ——————→ Hoofdstuk **1**
3 Kijk naar het subject en verander de PV. ————→ Hoofdstuk **2**
4 De vorm van dit werkwoord is fout. Kijk eventueel naar de andere werkwoorden. ——————→ Hoofdstuk **2**
5 Is dit werkwoord regelmatig of onregelmatig? ——→ Hoofdstuk **2**
6 Moet dit werkwoord in het presens of in de verleden tijd? Kijk naar de rest van de zin of de rest van de tekst. ————————————————→ Hoofdstuk **2**
7 Hier is een werkwoord vergeten. Moet hier een PV, een deelwoord of een infinitief staan? ————→ Hoofdstuk **2** en **10**

8 Moet dit substantief enkelvoud of meervoud zijn? ——————————————————→ Hoofdstuk **3**
9 Gebruik hier een (ander) lidwoord. Moet hier een bepaald, een onbepaald of geen lidwoord staan? ——→ Hoofdstuk **3**
10 Dit pronomen is fout. Is het subject of object of moet het een possessief pronomen zijn? ——————→ Hoofdstuk **5**
11 Gebruik hier een (andere) prepositie. ————→ Hoofdstuk **6**
12 Dit is een hoofdzin. Kijk naar de woordvolgorde. Waar moeten de PV, het subject en de andere werkwoorden staan? ———————————→ Hoofdstuk **7**
13 Dit is een bijzin. Kijk naar de woordvolgorde. Waar moeten het subject en de werkwoorden staan? ——→ Hoofdstuk **9** en **12**

14 Is dit een hoofdzin of een bijzin? Zet de woorden op de juiste plaats. ————————————————→ Hoofdstuk **7** en **9**

15 De spelling is niet juist.
16 Dit woord/deze zin is niet duidelijk. Schrijf dit anders op.

6468382 Girorekening